LE PALAIS
DE LA LUNE

Pour Charlotte, qui aime
les couleurs de l'Inde.
M.

Pour Maud et Nath.
A.C.

NOUS SOMMES TOUS DIFFÉRENTS, DONC TOUS EXCEPTIONNELS.

PROVERBE ARAMÉEN

Qu'as-tu pensé de cette aventure des Kinra Girls ?
Donne ton avis sur http://enquetes.playbac.fr en entrant
le code 651706. Inscris-toi sur la plateforme Play Bac
et gagne de nombreux livres et jeux de notre catalogue
en cumulant des points.

Éditions Play Bac, 33, rue du Petit-Musc, 75004 Paris ; www.playbac.fr

LE PALAIS
DE LA LUNE

MOKA

ILLUSTRATIONS
ANNE CRESCI

playBac

kinra girls

IDALINA

KUMIKO

Kumiko est japonaise. C'est une peintre talentueuse, qui aime aussi la photo et la mode.

Idalina est espagnole. Elle joue de la guitare et c'est une superbe chanteuse de flamenco.

NAÏMA

RAJANI

ALEXA

Naïma est afro-américaine. Son père est américain et sa mère vient d'Afrique. Le cirque est sa passion.

Rajani est indienne. Elle adore danser, surtout les danses traditionnelles de son pays.

Alexa est australienne. Elle monte à cheval et souhaite devenir championne d'équitation.

AU PALAIS DU MAHARADJAH SANJAY

SANJAY
maharadjah,
grand-oncle de Rajani

KARISMA
grand-mère de Rajani,
sœur de Sanjay

PRATAP
chauffeur de Sanjay

HAZRAT
domestique de Sanjay

SITA
domestique de Sanjay

AU PALAIS DU MAHARADJAH RAJIV

RAJIV
maharadjah, rival de Sanjay

PADMINI
princesse, fille de Rajiv

ATAL
époux de Padmini

AMITAV
prince, petit-fils de Rajiv

Autre indien rencontré lors du voyage

NIHAL
brahmane

Chapitre 1

Une larme sur le visage
de l'éternité

Ici, même le soleil s'inclinait devant l'amour. Il était pourtant déjà 10 heures, mais l'astre du jour restait discrètement caché, peut-être par respect pour le chagrin de l'empereur Shah Jahan. Dans l'épais voile de brume se dessinait, irréelle, la pointe du dôme, telle une flèche prête à s'envoler vers le ciel.

Naïma ne savait plus où elle était. Rêvait-elle éveillée ? Oui, sans doute. D'ailleurs, la main d'Idalina secouait son bras. Réveille-toi, Naïma !

– N'est-ce pas tout simplement magique ? murmura la voix de son amie.

Le voile se déchirait. La flèche avait percé la brume. Naïma cligna les paupières, soudain éblouie par la blancheur des murs.

La merveille des merveilles, le Taj Mahal, apparut dans tout l'éclat de sa splendeur.

Le Taj Mahal n'est pas un palais. C'est un mausolée, c'est-à-dire un grand monument construit à la mémoire d'une personne à l'endroit où elle est généralement enterrée.

Gigantesque, magnifique, impressionnant, étaient les mots qui venaient naturellement à l'esprit. Pourtant Naïma ne pensait pas à ces mots-là. Le Taj Mahal était pour elle une fleur épanouie, une colombe portée par le vent ou peut-être bien un gâteau saupoudré de sucre glace…

Naïma fut presque fâchée quand Kumiko passa devant elle pour photographier le mausolée. Ce brusque retour à la réalité était désagréable. Elle aurait voulu continuer sa rêverie. Heureusement, Karisma, la grand-mère de Rajani, entreprit alors de raconter une histoire qui aurait pu commencer par « il était une fois », sauf qu'elle était bien réelle.

– C'était il y a fort longtemps… Le prince Khurram épousa une noble persane, Arjumand Banu Begum. Ces noms-là, on les a oubliés. On ne connaît maintenant que ceux qu'on leur donna quand le prince devint empereur : Shah Jahan et Mumtaz Mahal. L'empereur avait plusieurs femmes, mais il n'aimait que Mumtaz et elle l'aimait tout autant. Mumtaz accompagnait partout son époux, même sur les champs de bataille ! Hélas, Mumtaz mourut en accouchant du dernier de ses nombreux enfants. La légende prétend que, sur son lit de mort,

elle demanda à Shah Jahan de montrer
au monde combien ils s'aimaient.
Inconsolable, l'empereur tint néanmoins
parole. Pour construire le mausolée,
il fallut vingt-deux ans, 20 000 hommes
et beaucoup d'éléphants pour transporter
le marbre. On alla chercher le jade en
Chine, la turquoise au Tibet et les agates
au Yémen ! Le Taj Mahal devait être
à la mesure de la beauté de Mumtaz et
célébrer aussi sa générosité et sa bonté
envers le peuple. Le grand poète indien
Tagore[1] a appelé le Taj Mahal « une larme
sur le visage de l'éternité ».
Idalina, qui adorait les histoires d'amour,
surtout quand elles finissaient mal,
joignit les mains sur son cœur et soupira.
Alexa rompit le silence en déclarant :
— Je n'arrive pas à croire que je suis ici !

---

1. *Rabindranath Tagore (1861-1941) était un poète, philosophe,*
écrivain et peintre. Il a reçu le prix Nobel de littérature en 1913.
Il accordait une grande importance à l'éducation.

Naïma acquiesça. Car c'était bien une chose incroyable pour les Kinra Girls que d'être ensemble... dans le pays des **maharadjahs**[2] !
Karisma sourit.

– Mes enfants, les touristes envahissent déjà le mausolée. Allons-y !

Le Taj Mahal se reflétait dans l'eau calme du canal central qui traversait le jardin. La brume dissipée, la température grimpait vite. En avançant vers le bâtiment, Naïma songeait à ce fameux lundi à l'école...
Un lundi fort ordinaire avec ses cours, ses averses de pluie et ses carottes râpées. Fait amusant, lors du déjeuner, les Kinra Girls avaient justement parlé des vacances d'hiver. Naïma, Idalina, Kumiko et Alexa resteraient à l'Académie Bergström. Leurs parents ne pouvaient pas payer des billets d'avion à toutes les vacances scolaires. Rajani, quant à elle, devait rentrer chez elle.

2. Maharadjah *(en sanskrit)* : « *grand roi* » *ou titre donné aux princes de l'Inde.*

Elle était un peu triste à l'idée d'être séparée de ses amies pendant deux semaines.

Le soir même, l'assistante du directeur était venue la prévenir que sa grand-mère l'attendait au téléphone. Karisma appelait assez souvent. Il n'y avait donc pas motif à s'alarmer. Mais Rajani tardait à revenir dans sa chambre. Kumiko s'en étonna. Idalina, inquiète, sortit dans le couloir pour guetter le retour de Rajani. Elle fut très surprise de voir celle-ci débouler de l'escalier, les cheveux en bataille. Rajani, d'habitude plutôt réservée, sautait de joie. Interloquée, Idalina la suivit dans la chambre.

    — Les filles ! s'écria Rajani. J'ai la grand-mère la plus géniale du monde ! Vous n'imaginerez jamais ce qu'elle a fait ! Elle a contacté vos parents ! Miss Daisy lui a donné leurs numéros et Karisma les a appelés ! Et ils sont tous d'accord !

– Qu'est-ce que tu racontes ? demanda
Kumiko. On ne comprend rien !

– Vous êtes invitées chez mon grand-
oncle Sanjay !

Naïma la regarda avec stupéfaction. Alexa
se gratta l'intérieur de l'oreille. Elle avait
sûrement mal entendu… Idalina réagit
la première.

– Mais… ton grand-oncle, c'est bien celui
qui vit dans un palais ?

– Ben oui ! Le **maharadjah** ! Nous partons
au Rajasthan³ pour les vacances !

– Quoi ? fit Alexa.

Rajani tournoya sur elle-même en riant.

– Nous allons au pays des rois, les **radjahs** !

---

3. *Rajasthan : État du nord-ouest de l'Inde.*

Est-ce que ce n'est pas fabuleux ?

– Heu, une seconde ! réclama Kumiko.

Mon père accepte que j'aille en Inde ?

Mon père à moi ?

– Puisque je te le dis ! affirma Rajani.

Tu ne connais pas ma grand-mère !

Elle parvient toujours à ses fins !

Naïma sortait doucement de son état
de stupeur. Les questions se bousculaient
dans sa tête. Et celle qu'elle posa en premier
plongea Alexa dans l'hilarité.

– Est-ce qu'il y a des crocodiles au
Rajasthan ?

– Je ne crois pas, non, répondit Rajani
après réflexion. En revanche, il y a des
chameaux, des panthères, des ours et
des éléphants !

– Et des tigres ! ajouta Idalina. Je voudrais
tellement voir un tigre…

– Il y a peu de chances, soupira Rajani.

C'est une espèce en voie de disparition.

– Mon papa n'a pas d'argent, dit brusquement Naïma. Il ne peut pas m'offrir un voyage pareil.

– Il n'a pas à le faire ! Au Rajasthan, l'hospitalité est un devoir. Les étrangers sont accueillis et traités comme un membre de la famille en visite, même dans les maisons les plus modestes ! Sanjay m'avait promis de m'inviter quand je serais assez grande pour venir sans mes parents. Pour lui, il suffit que vous soyez mes amies pour être les bienvenues.

– Pourquoi sans tes parents ? s'étonna Idalina.

Rajani eut l'air un peu embêtée.

– Ah... c'est que mon grand-oncle et ma mère sont fâchés... J'en ignore la raison, on n'a jamais voulu me le dire.

Et voilà comment les Kinra Girls
se retrouvèrent au pays des **radjahs**.
Avant de pénétrer dans le mausolée, les
touristes recouvraient leurs chaussures
avec les babouches en papier distribuées
avec le billet d'entrée. Certains préféraient
se déchausser, par respect pour la tradition
musulmane qui recommande de le faire
dans les mosquées.

Dans la grande salle centrale, Karisma leur
montra les versets[4] du Coran incrustés en
marbre noir sur les murs. Le Coran est
le livre saint des musulmans. Comme
beaucoup de **maharadjahs**,
Shah Jahan était musulman.
Idalina admira les motifs floraux,
les tiges en jade vert, les pétales
en corail rouge, en agates grises,
beiges ou rouge orangé et en
lapis-lazuli d'un bleu profond.

4. Verset : paragraphe numéroté dans la Bible et dans le Coran.

Le guide d'un groupe de touristes américains poussa soudain un long cri pour faire entendre l'extraordinaire écho sous la coupole.

– Il pourrait prévenir ! protesta Alexa.

J'ai failli avoir une attaque !

Les Kinra Girls et Karisma poursuivirent la visite, en compagnie d'une foule de plus en plus dense. Il y avait un peu trop de monde à leur goût et elles furent plutôt contentes de ressortir. La chaleur était désormais écrasante dans les jardins inondés de lumière. Il ne fallait pas compter sur les petits arbres taillés pour vous offrir de l'ombre.

Karisma leur expliqua encore que les quatre tours qui encadraient le mausolée étaient des minarets. En réalité, c'était des faux car un minaret sert à l'appel de la prière dans une mosquée. Ceux du Taj Mahal étaient seulement décoratifs. Ils avaient été construits de façon à ce qu'ils tombent vers l'extérieur, et non pas sur le dôme, en cas de tremblement de terre.

Naïma cacha sa bouche et étouffa un bâillement. Une nuit à l'hôtel à Delhi, la capitale de l'Inde, ne lui avait pas suffi pour récupérer du voyage en avion. Et il fallait maintenant faire une longue route en voiture jusqu'au palais de Sanjay.

Pratap, le vieux chauffeur du **maharadjah**, attendait patiemment dans le gros 4 x 4 climatisé. Un merveilleux sourire éclaira son visage ridé dès qu'il aperçut les Kinra Girls. La veille, il ne lui avait fallu qu'une minute pour qu'il devienne leur ami le plus fidèle. Pratap était un sage et il savait juger de la valeur des personnes. Ces cinq petites filles-là, il les portait dans son cœur.

Chapitre 2

Le palais enchanté du maharadjah Sanjay

Rajani s'était endormie contre l'épaule de sa grand-mère. Idalina et Kumiko somnolaient, bercées par le cahotement de la voiture. Alexa était parfaitement réveillée et discutait avec Pratap. Naïma était coincée entre eux deux sur la banquette avant. Elle ne s'en plaignait pas car la conversation l'empêchait de s'endormir. Elle ne voulait pas perdre une miette du voyage !

La route serpentait entre plaines arides, savanes arborées et collines boisées ou rocailleuses. Pratap indiqua de la main un chemin qui partait vers le sud.

– Par là, il y a le parc de Ranthambore. Il y a encore quelques tigres dans la forêt, très peu sans doute. Les braconniers les chassent. Une peau de tigre se vend très cher, alors les gens sont tentés. Malheureusement, ils utilisent souvent du poison qui tue aussi d'autres animaux.

– C'est horrible, oui… frissonna Naïma.

– Il y a beaucoup de pauvres dans ce pays, répondit Pratap. Un tigre vivant ou mort, c'est assez d'argent pour faire vivre pendant des mois une famille entière.

– Vivant ? répéta Alexa.

– Oui. Il y a aussi un trafic d'animaux vivants. On tue la mère et on revend les bébés !

– L'homme est le pire animal sur Terre,
grogna Alexa.

Pratap ralentit en apercevant deux femmes
tout habillées de rouge sur le bord de la
route. Elles portaient deux lourdes jarres
en métal sur la tête. Elles s'arrêtèrent pour
laisser passer la voiture. Pratap expliqua
qu'elles revenaient du puits du village voisin.

– Voilà notre plus gros problème ici,
dit soudain Karisma. Le manque d'eau.
D'habitude, la mousson apporte la
pluie en abondance et remplit les
nappes souterraines. Mais ces vingt
dernières années, les moussons ont été
catastrophiques. Il ne pleut pas assez.

– Les femmes sont chargées de la corvée
d'eau, ajouta Pratap. Elles doivent parfois
marcher pendant quatre heures par jour.

– Je promets de ne pas me laver pour
ne pas gâcher l'eau ! plaisanta Alexa.

– Ce ne sera pas nécessaire ! rit Karisma. Là où nous allons, il y a un petit lac. Tout le monde y a accès même s'il appartient au domaine du mon frère. Et dans le palais, il y a un puits profond et donc très bien alimenté.

Les bosquets d'arbres étaient désormais plus nombreux dans les vallées encaissées. Pratap précisa qu'on s'approchait du parc de Sariska, l'ancien territoire de chasse des **maharadjahs** d'Alwar, transformé en réserve naturelle. On y avait récemment réintroduit deux tigres car ils avaient tous disparu, il y a quelques années. Il était très difficile de savoir si d'autres tigres étaient nés. Le parc était gigantesque ! On n'était guère optimistes quant au résultat...

Alexa aperçut un vieillard qui avançait lentement, en s'appuyant sur son bâton. Sa robe était déchirée et ses sandales ne semblaient tenir que par des ficelles.

– Je crois que ce monsieur a besoin
d'aide, remarqua-t-elle. Il a l'air épuisé.

– C'est le **brahmane**[5] Nihal. Il vit en
ermite non loin du palais de Sanjay.
Il est si vieux que certains pensent qu'il
est immortel ! C'est un saint homme
à qui on doit le plus grand respect.

Pratap se gara sur le côté et descendit de
voiture pour s'incliner devant le **brahmane**.
Alexa, toujours curieuse, sortit aussi.
Les mains jointes sur la poitrine,
elle salua avec le seul mot en
hindi qu'elle connaissait :

– *Namasté*[6] !

Nihal parut amusé et
sourit. Karisma ouvrit
la fenêtre de sa portière
et s'adressa à lui. Alexa ne

5. Brahmane *(en sanskrit) :* prêtre ou homme
de lettres hindou.
6. Namasté *(en hindi) : « je m'incline devant vous ».*

comprenait rien à leur conversation, mais il n'y avait aucun doute qu'elle était fort amicale. Puis Pratap remonta dans la voiture et invita Alexa à faire de même.

— On ne lui propose pas de le déposer quelque part ? s'étonna-t-elle.

— Il n'accepterait pas, dit Karisma. Parce qu'il ne va nulle part ! Il marche et il prie. C'est bon pour la santé à la fois physique et mentale !

— Ben, je ne le trouve pas dans une forme olympique, constata Alexa.

Il n'a que la peau sur les os.

Rajani s'étira et se frotta les yeux. À côté d'elle, Kumiko se réveilla également.

— Pourquoi on est arrêtés en pleine campagne ? demanda-t-elle.

Pour toute réponse, Pratap embraya. Il ne restait que quelques kilomètres à parcourir. Kumiko secoua Idalina qui n'apprécia pas trop

d'être tirée de son sommeil.
Son mécontentement fut de
courte durée car, bientôt, la
silhouette rose du palais de Sanjay
se dessina sur le ciel bleu. À cette
distance, celui-ci ressemblait à une
forteresse perchée sur un piton rocheux.
Karisma raconta aux filles l'histoire de sa
construction. Un de ses ancêtres, le **radjah**
Karni, avait été abandonné par ses hommes
et se trouvait seul et vulnérable, à la merci
de ses ennemis. Il croyait sa dernière heure
arrivée quand, soudain, la lune se leva et
éclaira la colline devant lui. Guidé par les
rayons lunaires, Karni escalada la paroi
abrupte et découvrit une grotte où il se
réfugia. Les soldats qui le poursuivaient
perdirent sa trace et finirent par s'en
retourner d'où ils venaient. Mal leur en
prit car ils furent massacrés par l'armée

d'un puissant **maharadjah**. Karni épousa d'ailleurs une des filles de ce grand roi en signe de reconnaissance. Karni n'oublia pas que la lune l'avait sauvé. Il fit construire son palais au-dessus de la grotte.

– Voilà pourquoi on l'appelle **Chandi Mahal**, le palais de la Lune, conclut Karisma.

– Sanjay prétend que c'est une légende, dit Rajani, et que ça n'est jamais arrivé.

– Ton grand-oncle ne croit à rien et prétend beaucoup de choses, répliqua Karisma. Il me désespère par moments ! L'argent et les apparences comptent trop pour lui. Certes, il a réussi à préserver notre héritage grâce à son succès dans les affaires, ce dont je lui suis reconnaissante. En revanche, il me déplaît qu'il dépense son argent dans des fêtes ou des cadeaux somptueux pour s'attirer l'admiration des autres. Mais j'aime mon frère parce qu'il a pris sous sa protection les pauvres gens d'ici et que de ça, il ne se vante pas. Derrière son volant, Pratap acquiesça. La grosse voiture grimpait à présent le long de la colline. Elle avait à peine la place de passer sur l'étroit chemin caillouteux. Ça faisait plutôt peur…

Une porte monumentale s'ouvrait dans le mur d'enceinte. Elle était encadrée par deux imposants éléphants de pierre.

– Elle est énorme, cette porte !
s'exclama Naïma.

– Dans le temps, on entrait à dos
d'éléphant, expliqua Karisma.

Pratap se gara près d'un bassin. Idalina
sauta aussitôt hors du véhicule, la tête
renversée pour regarder la façade du palais.
Des niches encadraient toutes les fenêtres,
chacune abritant une statue de danseuse
ou de musicienne. Au centre trônait un
gigantesque paon gravé dans le mur rose.

– Ce que c'est beau ! s'extasia Idalina.

– J'adore le paon ! renchérit Kumiko.

– C'est l'emblème du Rajasthan et des princes indiens, dit Karisma. Mais c'est aussi le compagnon de Sarasvatî, la déesse de la Connaissance, de la Parole et des Arts, surtout la musique. On honore Sarasvatî dans cette maison.

Tout d'un coup, Naïma fut prise d'une grande inquiétude. Elle tira Rajani par la manche.

– Hé ! Comment on doit appeler ton grand-oncle ? Monseigneur ou Votre Altesse ou...

Rajani ne s'était jamais posé cette question. Pour elle, c'était oncle Sanjay !

– Sanjay**ji**, souffla Pratap.

– Ah oui ! soupira Rajani, soulagée. Quand on s'adresse à quelqu'un d'important, on ajoute « **ji** » à la fin de son nom. Cela signifie « respect ».

Deux femmes sortirent du palais pour apporter leur aide à Pratap. Elles s'inclinèrent devant Karisma. Voulant faire preuve de politesse, Alexa se précipita vers elles.

— *Namasté ! Namasté !* s'écria-t-elle.

Et Alexa étant Alexa, elle se prit les pieds dans la bandoulière d'un des sacs de voyage et s'étala de tout son long sur les pavés.

— Oh, ce n'est pas la peine de se prosterner devant moi, dit une voix grave au-dessus d'elle.

Alexa aperçut d'abord une paire de bottes marron. En se redressant, elle vit un pantalon de cavalier, les célèbres **jodhpurs**, puis une tunique brodée décorée de médailles militaires, une abondante barbe grise et enfin deux yeux noirs sous un turban rouge orné d'un bijou de perles et de joyaux.

— Ça va ? s'enquit Karisma. Tu ne t'es pas fait mal ?

Et Alexa... étant Alexa, elle éclata de rire.
Rajani se mordilla les lèvres. Elle n'avait
rencontré son grand-oncle que deux fois.
Elle ne le connaissait pas bien. Elle craignait
qu'il n'interprète mal le comportement
de son amie qui passait parfois pour une
insolente.

– *Namasté !* Je suis Alexa, Miss plaies
et bosses !

Rajani rentra la tête dans les épaules.
Aïe... Alexa aggravait son cas !

– Enchanté. Sanjay, sixième du nom,
maharadjah.

Karisma s'avança vers son frère. Sanjay
lui prit les mains affectueusement.

– Ma chère sœur. C'est toujours
un plaisir, bien rare hélas, que de
te recevoir.

Karisma présenta les trois autres filles,
très impressionnées de se trouver

face à un grand prince. Rajani s'approcha
timidement de son grand-oncle et le salua.
Sanjay l'examina sévèrement, comme s'il
la jugeait. Puis il sourit dans sa barbe et
déclara finalement :

— Hum… Tu ressembles de plus en plus
à ta mère. J'ai entendu dire que tu étais
devenue aussi obstinée qu'elle. Mais j'ai
de l'entraînement avec les entêtées de

ton genre. J'ai grandi auprès de Karisma !
Allons ! Vous devez être affamées après
cette longue route ! Sita ! Veux-tu
les conduire à leurs appartements ?
Nos invitées ont sûrement envie de
se rafraîchir avant de dîner.

Sita, la plus jeune des deux femmes, s'inclina
devant son maître. Un petit vent s'était levé
et balayait la cour. Alexa plissa le nez et
renifla l'air.

— Mais... ça sent l'écurie, ici !
s'exclama-t-elle.

Rajani la regarda, atterrée. Quand donc
Alexa apprendrait-elle à ne pas parler
à tort et à travers ? Sanjay, qui repartait
vers la porte de son palais, se retourna
brusquement.

— En effet, répondit-il. L'écurie
est derrière le palais. Je possède
dix-huit chevaux pour le polo.

– C'est vrai ? Ma grand-mère et mon arrière-grand-mère étaient de grandes joueuses de polo ! Chez moi, en Australie !

– Ah ? fit Sanjay, vivement intéressé. Et vous jouez aussi ?

Alexa comprit que le **maharadjah** était un passionné de polo. Elle avait là une belle occasion de s'en faire un ami.

– Oui, oui ! J'ai mon propre cheval ! Belize. Enfin, lui, il est surtout bon pour le saut d'obstacles et le parcours...

– Le polo est le sport des princes, affirma Sanjay.

– J'allais le dire, répondit Alexa.

Chapitre 3

Comme des reines !

Idalina regardait le gigantesque lustre en cristal suspendu au centre d'un plafond décoré de moulures dorées à la feuille d'or.

— Tu vas finir par avoir un torticolis ! remarqua Naïma.

Kumiko, l'artiste, était plus sensible aux délicates fresques. Des danseuses et des musiciennes, mais aussi des cavaliers et des éléphants, semblaient danser sur les murs. Les portes en bois de rose ou de santal s'ouvraient sur quantité de pièces toutes plus somptueuses les unes que les autres. Sita invita les Kinra Girls à la suivre.

– Vos chambres sont dans le **zenana**, les appartements des épouses des princes, dit-elle.

Alexa se tourna vers Rajani.

– Ton grand-oncle a plusieurs femmes ? demanda-t-elle.

– Bien sûr que non ! répondit Rajani.

Et il est divorcé depuis vingt ans !

Idalina resta clouée sur place quand elle découvrit la première chambre. Le lit était surmonté d'un baldaquin d'où pendaient des rideaux de soie orange et rouge. Les murs étaient couverts d'une mosaïque de verre de toutes les couleurs et de minuscules carrés de miroir. Ce qui n'était rien en comparaison de la tête de lit, un magnifique panneau de bois sculpté qui représentait

une musicienne assise dans une fleur de lotus, accompagnée d'un paon, d'un cygne et d'une oie.

– C'est la déesse Sarasvatî, expliqua Sita. L'instrument qu'elle tient est un *vina*[7]. Les trois oiseaux symbolisent l'énergie créatrice du soleil. Le paon est aussi le symbole de la beauté et de l'immortalité. Quant au lotus, il est blanc pour la pureté et la perfection spirituelle.

– C'est la chambre qu'il faut à Idalina, déclara Rajani. C'est elle, la musicienne !

Naïma s'intéressa à l'écran ajouré en marbre

7. Vina *(en hindi) : instrument à cordes, sorte de luth à manche long symbolisant, entre autres, l'harmonie.*

rose qui couvrait la fenêtre. Elle supposa
que c'était pour se protéger de la chaleur.
Sita la détrompa. Cet écran de pierre
s'appelait un *jali* et il permettait de voir
sans être vu. En effet, les épouses des
maharadjahs devaient rester cachées !

— Je ne vais jamais oser me coucher dans
ce lit, murmura Idalina. C'est trop beau.
Les chambres étaient toutes décorées
d'une manière aussi somptueuse. Alexa rit
en découvrant la cinquième. Une partie de
polo était peinte sur le mur !
— Celle-là est pour moi !
Kumiko, qui l'avait suivie, observa la scène.
— Alors, c'est comme ça qu'on joue...

– Oui, répondit Alexa. Deux équipes de quatre cavaliers. C'est un peu comme du football, sauf qu'on frappe la balle avec un très long maillet.

– Ça doit être super dur de ne pas tomber ! Tu es bonne, à ce jeu ?

Alexa jeta un œil derrière elle pour s'assurer que les autres ne pouvaient pas l'entendre.

– Je l'ignore. Je n'ai jamais essayé !

– Tu as menti à Sanjay ? s'écria Kumiko, scandalisée. T'es folle !

– Chuuut ! Moins fort... Je n'ai pas menti. Pas tout à fait... C'est vrai qu'il y a des championnes de polo dans ma famille. Ma grand-mère m'a appris les règles. Mais mes parents ne veulent pas que je joue avant mes 18 ans parce que c'est dangereux.

– Et si Sanjay te propose une partie, qu'est-ce que tu vas faire ? Ou tu risques

un accident grave ou tout le monde
saura que tu es une vilaine menteuse.

– Bah, y a peu de chances que ça arrive !

– Tu ne devrais pas prendre ça à la légère.
Tu pourrais le regretter.

Alexa haussa les épaules, mais parut soudain
inquiète.

– Tu ne le diras pas à Rajani, hein ?

– Non. J'espère que tu le feras toi-même.

Alexa baissa les yeux, très embêtée.

– Je ne l'ai pas fait exprès, dit-elle.
Je parle toujours trop, je ne peux pas
m'en empêcher !

Karisma appela les deux filles.

– Venez par ici ! Hazrat a une surprise
pour vous !

Hazrat, la deuxième domestique du palais,
déposa une grosse pile de tissus chatoyants
sur le coussin d'une banquette.

– Ce sont des **saris**[8], dit Karisma. Vous

---

8. *Sari (en hindi) : vêtement traditionnel porté par les Indiennes
et composé d'une longue bande de tissu de 5 ou 6 mètres de long.*

allez vous habiller à la mode indienne !
Après leur douche, les Kinra Girls
passèrent un bon moment avec
Hazrat et Sita. Elles s'amusèrent
beaucoup à draper les **saris**.

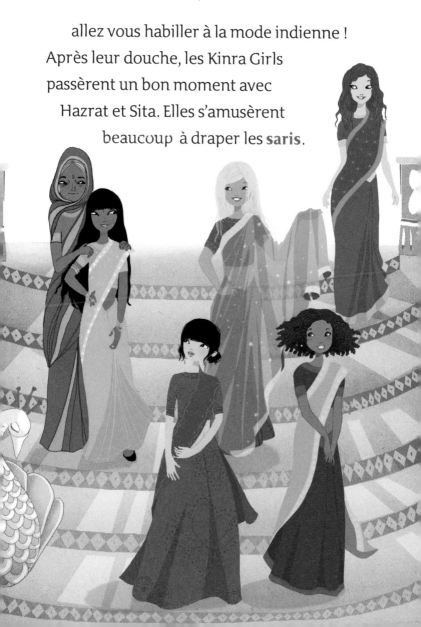

– J'ai l'impression d'être une momie
qu'on entoure de bandelettes ! plaisanta
Naïma.

Karisma, après s'être changée, passa pour
prier les filles de se dépêcher. Le dîner allait
être servi.

– On est prêtes ! déclara Alexa. Enfin,
si ce bout de tissu voulait bien rester
en place sur mon épaule…

– Arrête de gigoter tout le temps !
dit Rajani. Voilààààààààà…

– Vous êtes magnifiques, affirma Hazrat.

Toute la troupe redescendit l'escalier en
marbre. Idalina sautillait, émerveillée
par tout ce qu'elle voyait. Elle s'inventait
pour elle-même les histoires d'amour des
maharadjahs du palais de la Lune (qui
finissaient mal, évidemment).

Sanjay les attendait déjà dans la salle à
manger. En découvrant la table, Karisma

poussa une exclamation. On avait sorti
la vaisselle d'or, les verres en cristal et
les couverts en argent !

– Tu ne m'as pas prévenue que tu avais
invité le Premier ministre !

– Quoi ? grogna Sanjay.

– Voyons, mon frère ! Ce sont des petites
filles ! Elles ne vont pas manger dans des
assiettes en or !

– J'ai rien contre, moi, dit Alexa.

– Ah ! fit Sanjay. Tu vois !

Karisma soupira et leva les yeux au ciel.

– Maintenant que c'est fait, on ne va pas
tout enlever. Mais il n'est pas question
de recommencer !

– Rabat-joie, répondit Sanjay.

– Vieux lion prétentieux, rétorqua
Karisma.

Rajani regarda tour à tour sa grand-mère
et son grand-oncle. Ça lui faisait bizarre

de les entendre se chamailler comme des
enfants !

Hazrat et Sita entrèrent, portant de grands
plats ronds qu'elles posèrent au centre
de la table. De délicieux parfums d'épices
embaumèrent les lieux.

– Ce repas est typique de l'Inde, expliqua
Karisma. Il s'appelle **thali**. Ce mot désigne
à la fois le plat et la nourriture.

Karisma énuméra les différents mets : du
dal makhani (des lentilles noires dans une
sauce épaisse au beurre), des légumes variés

cuits dans de l'huile et du curry (un mélange d'épices), des *chapatti* (des galettes de blé sans levain) et des *malaï kofta* (des boulettes de légumes avec de la crème, des raisins secs et des noix de cajou), le tout accompagné de riz blanc et de diverses sauces.

– Comme un tiers des Indiens, je suis végétarien, précisa Sanjay. Si vous souhaitez avoir de la viande aux prochains repas, il suffit de le demander à la cuisinière.

– Moi aussi, je suis végétarienne ! s'exclama Alexa.

Assez mécontente, Kumiko observait Alexa continuer son opération « charme » avec le **maharadjah**. Et l'Australienne réussissait plutôt bien ! Ravi d'apprendre qu'elle partageait ses choix en matière de nourriture, Sanjay entama avec elle une discussion sur les vertus du régime sans viande.

Naïma fit honneur à l'excellente cuisine,
mais elle n'osait pas boire de peur de casser
le verre en cristal. Elle fut donc soulagée
quand on servit du thé, à la fin du repas.
D'autant plus qu'elle avait très soif après
les **gulab jammu**, des boulettes de yaourt
caramélisées qui baignaient dans du sirop
de rose.

Hazrat réapparut pour prévenir Karisma
qu'on l'attendait au bout du fil. À son retour,
celle-ci affichait un visage sombre.

    – Mauvaise nouvelle ? s'enquit Sanjay.

    – Oui, acquiesça Karisma. On a cambriolé
le centre de soins la nuit dernière.
Les voleurs ont pris notre stock
de médicaments.

La grand-mère de Rajani avait créé ce centre
pour les gens pauvres qui vivaient dans
les bidonvilles.

    – C'est une honte ! s'écria Idalina.

– Ce n'est pas la première fois, répondit Karisma. Ni la dernière, j'imagine… Mes collaborateurs sont gentils et dévoués mais, face à ce genre d'événements, ils ne savent pas quoi faire. Et puis, la police voudrait me parler. Alors…

– Tu ne vas pas partir ? s'inquiéta Rajani.

– Je n'ai pas vraiment le choix, même si je n'aime pas l'idée de vous laisser ici…

– Il n'y a pas de problème ! déclara Sanjay. Les filles sont en sécurité dans le palais ! Que veux-tu qu'il leur arrive ?

Rajani remarqua le regard que lui lança Karisma. Sanjay eut l'air embarrassé, si embarrassé d'ailleurs qu'il s'empressa d'ajouter :

– Avec Hazrat et Sita, elles sont entre de bonnes mains ! Pratap te conduira demain à l'aéroport de Jaipur. Hum… Encore un peu de thé, ma chère sœur ?

Naïma cacha un bâillement dans sa serviette brodée de fils d'or. Karisma conseilla à tout le monde d'aller se coucher. Les Kinra Girls approuvèrent avec soulagement. Elles étaient épuisées après cette longue journée.

En gravissant l'escalier, Rajani se retourna. Dans le hall, Karisma et Sanjay échangeaient quelques mots à mi-voix. Sans entendre ce qu'ils disaient, Rajani devina que sa grand-mère donnait des consignes à son frère. Nul doute que ces recommandations concernaient les Kinra Girls.

Sanjay rappela Karisma au moment où elle allait monter à son tour.

– Ah, encore une chose ! Tu m'enverras la facture pour les nouveaux médicaments !

Karisma sourit. Sanjay avait des défauts, mais son cœur était grand.

Un cadeau, hum... royal !

L es nuits étaient encore froides en cette saison. Il n'y avait pas de chauffage dans les chambres. Idalina, engloutie sous la grosse couette, s'agita. Heureusement que Sita lui avait donné une bouillotte pour se réchauffer les pieds ! Dans l'espoir de trouver le sommeil, Idalina imagina une histoire qui mettait en scène un jeune prince abandonné par un méchant roi, un éléphant et une belle déesse. Le résultat fut à l'inverse du but recherché. Son histoire était tellement intéressante qu'Idalina n'avait plus du tout envie de dormir !

Un cri retentit, venu de l'extérieur. Idalina se redressa et écouta, le cœur battant. Mais c'était quoi, ça ? Deux hurlements plus tard, elle se réfugiait en tremblant dans la chambre voisine, celle de Kumiko. Elle se glissa dans le lit, en prenant garde de ne pas réveiller son amie.

Quand, aux premières lueurs de l'aube, Kumiko ouvrit les yeux, elle fut fort étonnée de voir Idalina couchée à côté d'elle.

– Qu'est-ce que tu fais là ? grommela-t-elle.

Idalina frotta ses paupières gonflées et bâilla.

– Désolée… Il y avait quelque chose qui hurlait dehors. J'avais trop la trouille toute seule.

– Si c'était dehors, il n'y avait pas de danger. Ce n'était qu'un animal.

– Je sais bien ! gémit Idalina. J'avais peur tout de même !

Kumiko bâilla à son tour et s'étira.

— Bon, ce n'est pas grave ! Allez, debout ! J'ai hâte de découvrir ce que nous réserve cette nouvelle journée !

La matinée commençait plutôt mal puisque Karisma était déjà partie quand les Kinra Girls descendirent pour le petit déjeuner. Idalina demanda à Hazrat quels animaux peuplaient la région. Elle apprit que c'était sans doute un chacal solitaire qu'elle avait entendu. Bizarrement, elle fut un peu déçue. Un chacal, ce n'était pas très intéressant. Elle aurait préféré une panthère ou, évidemment, un tigre !

— Aucune chance que ce soit un tigre ! affirma Hazrat. Il n'y a qu'un chacal pour se promener dans les collines rocheuses. Ou une bande d'hyènes.

— Beurk ! grimaça Alexa. C'est affreux, ces bêtes-là !

– Et tu prétends aimer les animaux !
se moqua Naïma.

– Et alors ? rétorqua Alexa. Les hyènes
sont moches, ce n'est pas de leur faute !
Je ne leur veux pas de mal pour autant !

– Parce que tu trouves qu'un crocodile,
c'est beau ?

– Tu n'as jamais vu un crocodile de
6 mètres jaillir hors de l'eau en se dressant
soudain sur sa queue ! Je t'assure que
c'est un spectacle inoubliable !

– Je n'ai jamais vu ceux d'ici faire ça,
remarqua Hazrat.

– C'est une spécialité australienne,
répondit Alexa. Eh ! Une minute !
Il y a des crocodiles ?

– Oui, dans la forêt, là où il y a des rivières.
Alexa se tourna vers Rajani.

– Tu nous avais dit qu'il n'y en avait pas !

– Non, j'ai dit que je ne croyais pas qu'il

y en avait ! corrigea Rajani. J'habite à
Mumbai, moi. Je ne connais pas tous
les animaux qui vivent au Rajasthan !
Pendant que les Kinra Girls finissaient leur
tasse de thé, une vingtaine de femmes se
présentèrent. Sita expliqua qu'elles venaient
des villages environnants. Le palais était
gigantesque et il fallait une armée
pour l'entretenir !

Idalina demanda s'il était possible de visiter tout le palais sans déranger le **maharadjah**. Hazrat l'assura qu'elle était libre d'aller partout, à une exception près : elle devrait attendre l'invitation de Sanjay pour entrer dans ses appartements privés.

Le bruit d'un moteur parvint de la cour. Rajani supposa que Pratap était de retour après avoir conduit Karisma à l'aéroport. Mais une des femmes de ménage annonça qu'un gros camion venait d'arriver.

– Le chauffeur a dû s'amuser pour grimper la côte ! remarqua Alexa. Quoique, à la réflexion, si les éléphants pouvaient passer, il doit y avoir assez de place pour un camion !

Curieuses, les Kinra Girls et Sita sortirent. Deux hommes étaient déjà occupés à décharger le véhicule. Ce qui n'était pas une mince affaire…

Ébahies, les filles virent apparaître une Rolls-Royce rose avec deux chandeliers en argent montés de chaque côté du capot. C'était tellement surprenant que personne ne savait quoi dire.

— Ah, enfin ! cria une voix derrière elles. Je commençais à m'inquiéter qu'elle ne soit pas livrée à temps !

L'air ravi, le **maharadjah** contempla la Rolls-Royce.

— N'est-ce pas une merveille, mes enfants ? Vous avez vu l'intérieur ? Tableau de bord en marqueterie[9] de bois précieux et de nacre, poignées en or, petits lustres en cristal de Venise, sièges en velours imitation peau de tigre... Magnifique, n'est-ce pas ?

— Mais, dit Rajani, les chandeliers à l'extérieur, ce n'est pas très... pratique pour rouler, si ?

9. *Marqueterie : assemblage décoratif de pièces de bois, de nacre, de marbre...*

– Il n'est pas question de rouler avec cet objet d'art ! répliqua Sanjay en se frottant les mains. C'est un cadeau de mariage pour la fille du **maharadjah** Rajiv ! Ah, ah ! Il va être vert de jalousie ! Il n'a offert qu'une simple décapotable à mon fils cadet quand il s'est marié l'année dernière !

Alexa sentit le fou rire lui monter au nez.
Parce que, en vérité, l'aménagement de
la voiture était tout aussi monstrueux
que ridicule !

Idalina était étonnée par le comportement
de Sanjay. Il était comme un de ces gamins
qui se vantent dans la cour de récréation
avec des « Moi, mon père, il est président
de la République » ! Sauf que là, c'était :
« Moi, j'offre des Rolls-Royce roses ! » Ce
n'était pas très digne d'un grand prince…
Alexa se mordait les lèvres pour ne pas
éclater de rire. Naïma se détourna, gagnée
elle aussi par l'hilarité. Rajani s'en aperçut
et, d'un signe de tête, invita les Kinra Girls
à la suivre. Elles rentrèrent dans le palais,
laissant le **maharadjah** tout à sa satisfaction.
Sita, qui les accompagnait, leur raconta
l'histoire qui se cachait derrière tout ça.
La rivalité entre Sanjay et Rajiv ne datait

pas d'hier. Ils l'avaient héritée de leurs familles respectives. Dans le passé, les **maharadjahs** se faisaient la guerre. Puis, les conflits s'étaient apaisés grâce aux dons de diplomatie du grand-père de Sanjay, Anupam. Les **maharadjahs** trouvèrent un autre moyen de s'affronter : le polo !

— Chaque fois que son équipe perd un match, dit Sita, Sanjay s'enferme dans ses appartements et boude. Rajiv n'est pas plus sage. C'est à celui qui organisera la plus belle fête, offrira le cadeau le plus cher, s'achètera le plus gros diamant !

— Je crois que Sanjay marque un point avec sa Rolls-Royce de folie ! plaisanta Naïma.

— Folie, c'est le mot juste, répondit Rajani. Heureusement que Karisma n'est pas là. Qu'on dépense autant d'argent pour des bêtises pareilles, ça la rend furieuse.

– C'est quand même une bêtise assez intéressante, dit Kumiko.

Tout le monde la regarda avec stupéfaction.

– Reconnaissez qu'on ne voit pas ça tous les jours ! Je vais chercher mon appareil photo. Et mon carnet de voyage !

Elle n'aurait pas pu imaginer mieux pour faire plaisir au **maharadjah**. Celui-ci fut très, très content quand Kumiko s'assit sur le bord du bassin pour dessiner la Rolls-Royce. Quand le dessin fut achevé, le crayon de couleur rose avait diminué d'un tiers.

Chapitre 5

Le mystère du palais de Mahasammata

Il était une fois un **maharadjah** du nom d'Anupam. Il avait été frappé par de terribles malheurs : ses sept fils étaient morts en bas âge et son épouse adorée était elle-même décédée. Le **maharadjah** pleurait sans cesse, assis sur son trône en or. Il était si triste qu'il en avait oublié l'existence de sa fille. La petite Neetu était gaie, jolie et en bonne santé. Mais Anupam l'ignorait, écrasé par le chagrin.

Très inquiets de voir leur maître dans cet état, les serviteurs du palais envoyèrent les soldats chercher un **brahmane** très respecté dans le pays. Bien qu'il n'appréciât pas d'être ainsi dérangé dans ses prières, le **brahmane** accepta de suivre les soldats. Mais il ne fallait pas compter sur lui pour consoler le **maharadjah** avec de belles paroles ! Il entra dans une colère noire.

– Que faites-vous là à pleurer sur les morts ? hurla le **brahmane**. Occupez-vous plutôt des vivants ! L'amour demeure avec vous et vous ne le voyez pas ! Ouvrez enfin votre cœur à votre fille !

– Ma fille ? répondit Anupam. J'ai une fille ? Je ne me souviens pas.

Neetu s'était cachée derrière une statue pour écouter ce que le prêtre avait à dire. Elle se jeta aux pieds du **maharadjah**.

– Père, je suis là ! s'écria-t-elle.

Neetu était belle comme la première étoile qui s'éclaire dans la nuit. Anupam se mit à sourire. Et ce sourire ne quitta plus jamais son visage. La joie revint dans le palais. Chaque matin, Anupam offrait un cadeau à sa fille retrouvée. Il n'y avait qu'une ombre au tableau : le **maharadjah** était désolé que Neetu ne partage pas sa passion pour les chevaux. Lui qui en possédait plus de cinq cents ! Mais Neetu avait une peur panique des chevaux et refusait de les approcher. Alors, un jour, Anupam lui fit le plus extraordinaire des cadeaux. Émerveillée, Neetu découvrit un château miniature d'or, d'argent et de pierres précieuses.

L'objet n'était pas un jouet. Il représentait le palais de Mahasammata[10], le Premier Roi du Monde. Ses tours symbolisaient

10. *Mahasammata : l'un des créateurs du monde dans la religion bouddhiste.*

les cinq éléments de l'univers. Un énorme
rubis trônait sur la tour du feu,
un saphir sur celle de
l'eau, une émeraude
sur celle de la terre,
un diamant sur
celle de l'air et
un diamant jaune
sur celle de l'éther
qu'on appelle aussi
l'espace. Au centre du
palais, sous une coupole,
il y avait un disque d'or pour symboliser le
Soleil et un disque d'argent pour la Lune.
Et, sous la coupole, il y avait également un
coffret en or orné de pierres précieuses et
de perles fines. Anupam expliqua à sa fille
que cette boîte renfermait la Vérité. Neetu
l'ouvrit aussitôt et fut fort étonnée car elle
était vide.

– La vérité est invisible, dit Anupam.

Il revient à chacun de trouver sa propre vérité. Grâce au palais de Mahasammata, tu n'auras plus peur des chevaux. Pour toi, ma fille, trouver la vérité signifie avoir confiance en toi. Mais attention ! Le palais est gardé par un terrible monstre ! C'est le démon de la Peur et tu dois le vaincre.

Il se passa alors quelque chose d'extraordinaire. Neetu se sentit devenir toute petite… Elle savait qu'elle était toujours dans sa chambre en compagnie de son père et, pourtant, elle se voyait marcher sur une route ! La voix d'Anupam était son guide et elle la mena jusqu'aux portes du palais. Mais le monstre était bel et bien là, si effrayant que Neetu faillit s'évanouir.

– Misérable enfant ! gronda le monstre. Tu oses te présenter devant moi ?

Je vais te dévorer ! À moins que...
tu ne répondes à cette énigme : qui est
plus rapide que le vent, plus haut que
la muraille, plus fort que les cent mille
millions de démons de l'univers ?

La voix d'Anupam parlait tout doucement
dans l'oreille de Neetu.

– Ton esprit est plus puissant que ta
peur... Rien ne peut t'empêcher d'entrer
dans le palais si tu le veux vraiment.

Neetu regarda le monstre droit dans ses
cinquante yeux et déclara :

– Ton énigme est facile ! C'est mon esprit
qui est le plus rapide, le plus haut et le
plus fort !

Le monstre plia l'échine et se prosterna
devant elle. Il était vaincu.

Que vit donc Neetu dans le palais de
Mahasammata ? On l'ignore. Neetu ne dit
jamais rien à ce sujet. Mais elle affirma

être entrée et y avoir découvert sa vérité. Toujours est-il qu'elle n'eut plus jamais peur des chevaux et qu'elle devint même une excellente cavalière.

Rajani termina ainsi l'histoire de Neetu, son arrière-grand-mère. Ses amies, assises auprès d'elle sur de confortables coussins brodés, l'avaient écoutée dans un profond silence.

— Et personne n'a jamais retrouvé le petit palais, c'est ça ? demanda Idalina.

— En effet, répondit Rajani. Neetu s'est mariée avec le **maharadjah** Arjun à l'âge de 16 ans. Son père l'autorisa à prendre la part du trésor qui lui revenait. Elle a cherché le palais parmi tous les bijoux et les richesses d'Anupam, mais il avait disparu. Il ne restait que les disques du Soleil et de la Lune. Karisma les a encore.

— Quelqu'un a dû le voler, remarqua Naïma.

– C'est là où réside le mystère, dit Rajani.
Qui a pu pénétrer dans la salle du trésor ?
Et puis, pourquoi ne prendre que le palais
quand tant d'or et de pierres précieuses
sont à portée de main ?

– La salle du trésor… répéta Kumiko.
Elle est ici même ?

– Oui, acquiesça Rajani. Mais je n'ai
jamais eu l'occasion de la voir. Ne te fais
pas d'illusions ! Il y a bien longtemps que
tout ce qu'elle contenait a été déménagé
dans un coffre à la banque !

– C'est sûrement intéressant, supposa
Kumiko. Ton grand-oncle acceptera
peut-être qu'on la visite.

– J'accepterai quoi ? fit une voix venue
du hall voisin.

Le **maharadjah** Sanjay apparut et s'excusa
de les interrompre.

– Je ne faisais que passer, dit-il. Je ne vous

espionnais pas ! Alors, que vouliez-vous
me demander ?

Rajani lui expliqua qu'elle et ses amies se
posaient beaucoup de questions au sujet
de la disparition du palais de Mahasammata.
La réaction de Sanjay la surprit beaucoup.

– Oh ! Encore cette histoire
abracadabrante ! Ma mère, Neetu,
avait une imagination débordante. Elle
a inventé celle-ci pour nous donner
confiance en nous ! Voyons, jeunes filles !
Il n'y a rien de vrai là-dedans !

– Mais, mon oncle, protesta Rajani, les
disques du Soleil et de la Lune existent !

– Tu viens de le dire, rétorqua Sanjay, ce
sont des disques, de simples ronds d'or et
d'argent. Ce ne sont que des décorations,
comme les carrés de miroir et les
mosaïques de verre coloré. Ma mère
les a sans doute décollés d'un mur pour

ajouter un peu de sel à son récit !

– Il n'y a jamais eu de palais ? murmura Idalina, terriblement déçue.

Sanjay haussa les épaules.

– Évidemment que non ! La meilleure preuve, c'est qu'on ne l'a pas retrouvé ! Venez, venez ! Vous allez comprendre pourquoi il n'a pas pu être volé.

Sanjay les conduisit à travers le dédale des pièces jusqu'à une grande porte protégée par de lourdes barres de fer.

– Voici l'entrée des souterrains, dit-il. À l'époque d'Anupam, cette porte était gardée jour et nuit par des hommes armés jusqu'aux dents. Déjà, il n'est guère probable qu'un voleur ait réussi à tromper leur vigilance… Premier obstacle et de taille, vous l'admettrez ! Attendez-moi quelques minutes, je vais chercher les clés.

Pendant son absence, les Kinra Girls échangèrent des regards désolés. Toute la magie s'était envolée d'un seul coup. Puis Rajani secoua la tête.

– Peut-être que Sanjay ne croit pas à l'histoire de Neetu mais Karisma, si ! Alors, moi aussi !

– Tu as raison, approuva Kumiko. Moi, j'ai toujours cru qu'il y avait un trésor à l'Académie Bergström[11] et on l'a trouvé, non ?

Sanjay réapparut en compagnie de Sita.

– Ah, vous êtes là ! dit celle-ci. Quand vous aurez le temps, vous me préviendrez. Les **saris** ont été livrés tout à l'heure, vous devez choisir le vôtre pour le mariage.

– Le mariage ? répéta Naïma, interloquée.

– Oui, répondit Sanjay, celui de la fille du **maharadjah** Rajiv. Il sait que ma petite-nièce est ici avec ses amies. Je parie qu'il raconte à qui veut bien l'écouter que

---

11. *Voir les tomes précédents de la collection des Kinra Girls.*

des élèves d'une prestigieuse école sont
venues exprès du bout du monde rien
que pour le mariage de sa chère Padmini !
Ce gros vantard !

Tout en parlant, Sanjay ouvrit la porte à
l'aide d'une imposante clé un peu rouillée.
Un escalier descendait dans les profondeurs
de la terre.

    – D'après la légende, mon ancêtre le
radjah Karni s'est réfugié dans une
grotte pour échapper à ses ennemis.
Il aurait ensuite fait construire le palais
de la Lune à cet endroit précis. Il y a,
effectivement, plusieurs grottes là-
dessous. La salle du trésor est dans l'une
d'elles. Depuis, on a installé l'électricité.
C'est quand même plus pratique…

Les Kinra Girls suivirent le **maharadjah**
dans le dédale souterrain. Tout au bout d'un
long couloir creusé dans la roche, il y avait

une seconde porte, presque identique à
la première. À une différence près : elle ne
comportait pas de serrure, mais un énorme
cadenas. Sanjay montra le trousseau dans
sa main.

– Pour éviter que leurs fils ne pillent le trésor ou ne se le disputent, expliqua-t-il, les **radjahs** donnaient une clé à chacun d'eux. On ne peut ouvrir le cadenas qu'avec toutes les clés ! Vous le voyez, ce cadenas est prévu pour cinq clés. Et puisque vous êtes cinq, je vous remets une clé à chacune, comme si vous étiez les fils d'un **radjah** !

Les Kinra Girls trouvèrent l'idée très amusante. L'une après l'autre, elles tournèrent leur clé dans sa serrure.

Au dernier tour de clé, le cadenas s'ouvrit. Sanjay le dégagea de la barre de fer qui fermait la porte.

Kumiko savait que la salle était vide. Elle espérait malgré tout y découvrir quelque chose. Pourquoi pas une cachette dans le mur ou un passage secret ? Hélas, il n'y avait que les parois brutes d'une grotte qui ne pouvaient rien dissimuler.

— Vous comprenez maintenant qu'un
voleur n'aurait jamais pu pénétrer ici,
dit Sanjay. Mon grand-père Anupam
conservait les clés sur lui en permanence
et les soldats montaient la garde
à l'entrée du souterrain.

— Mais si le palais de Mahasammata
était magique, remarqua Idalina, il s'est
peut-être volatilisé dans les airs ?

Le **maharadjah** la regarda en hochant la tête.

— Voyons, mon enfant, cela est impossible !
La vérité, c'est que Neetu a simplement
inventé un joli conte pour nous distraire.
Je ne le lui reproche pas, d'ailleurs, au
contraire ! Je me souviens encore avec
émotion de ces merveilleux moments
où, ma sœur et moi, nous l'écoutions
raconter des histoires !

Les Kinra Girls devaient bien admettre

que Sanjay leur avait prouvé que le palais n'avait pas pu être volé. De là à croire qu'il n'avait jamais existé, il y avait un pas qu'elles n'étaient pas décidées à franchir. Elles continuaient de penser qu'il y avait une autre explication. Mais aucune d'elles n'osa le dire à Sanjay.

Néanmoins, elles avaient apprécié la visite et elles remercièrent le **maharadjah**. Celui-ci fut surpris quand Naïma se dressa sur la pointe des pieds pour l'embrasser sur la joue. En Inde, il est très inhabituel de se comporter ainsi. Cela peut même choquer. Le **maharadjah** ne s'en offusqua pas et… sourit dans sa grande barbe grise.

Pourquoi Sanjay n'a pas le droit de conduire

Quand Sanjay leur avait annoncé qu'elles étaient conviées au mariage, les Kinra Girls s'étaient un peu inquiétées. Elles avaient du mal à croire que le **maharadjah** Rajiv avait vraiment invité cinq filles qu'il ne connaissait pas. Lorsque Rajani fit part de leurs craintes à Hazrat, celle-ci éclata de rire.

– Ma petite chérie ! Il y aura plus de mille invités ! Le **maharadjah** n'a jamais rencontré la plupart d'entre eux !

Il y a des personnes qu'on est obligé d'inviter parce qu'elles sont célèbres ou parce qu'elles ont un poste important.

– Je n'aimerais pas que des inconnus viennent à mon mariage, commenta Idalina.

– Tu es dans le pays des rois, ne l'oublie pas ! répondit Hazrat. Allez ! Il est grand temps de vous préparer.

Sita entra dans la chambre, portant un large plateau chargé de bijoux étincelants.

Kumiko poussa une exclamation de stupeur.

– Mais, mais, mais... balbutia Naïma.

Ce... ce n'est pas pour nous ? Si ?

– Ordre du **maharadjah**, dit Sita.

Rajani fronça les sourcils. Si sa grand-mère était là, elle ne serait sûrement pas d'accord. Hazrat devina ce qu'elle pensait et elle précisa :

> – Tout le monde portera des bijoux de ce genre au mariage. On vient pour se montrer !

Sita posa un diadème sur la tête de Kumiko.

> – Aucun doute, vous serez les plus belles ! s'exclama-t-elle joyeusement.

Hazrat et Sita aidèrent les filles à mettre leur **sari** en soie et les parèrent de bijoux. Idalina contempla son reflet dans le miroir. Elle avait l'impression d'être une princesse de conte de fées. Y aurait-il un prince charmant à la fête ?

Hazrat la ramena durement à la réalité.

> – Faites attention à votre comportement. Le **maharadjah** Rajiv est très attaché aux traditions et il ne tolère pas le manque

de respect. Il n'est pas gentil comme
Sanjay.

– Évitez-le et tout se passera très bien !
ajouta Sita.

Naïma n'était pas rassurée et elle demanda
ce qu'il convenait de faire si elle se trouvait
face à Rajiv. Hazrat lui conseilla de ne
surtout pas toucher le **maharadjah** et
de garder les yeux baissés si elle devait
lui parler.

En compagnie de Pratap, son chauffeur,
Sanjay attendait les Kinra Girls dans la cour.
Pour l'occasion, la limousine avait été sortie
du garage. Sanjay était tout habillé de blanc
et portait sur son turban une incroyable
tiare de diamants et de rubis. De son cou
descendait une cascade de colliers en perles
fines. Il examina les filles, puis approuva d'un
signe de tête.

– Vous êtes ravissantes ! déclara-t-il.

Si vous aviez vécu à une autre époque, les **radjahs** se seraient livré une guerre sans merci pour avoir le bonheur de vous épouser !

Alexa eut une grimace de dégoût.

– Et moi, j'aurais levé une armée pour me débarrasser d'eux !

– Tu ressembles à Mannikarnika, la **rani**[12] de Jhansi ! rit Sanjay. Enfant, elle maniait l'épée et le pistolet et montait à cheval comme un homme ! À l'âge de 27 ans, elle commandait une troupe de rebelles et combattait les Anglais !

Il ouvrit la portière avant de la limousine et s'apprêta à s'installer derrière le volant.

– Non, Sanjay**ji**, dit Pratap.

– Quoi, non ? rétorqua le **maharadjah**.

– Il vous est interdit de conduire.

– Mais quel est l'imbécile qui en a décidé ainsi ? tempêta Sanjay.

12. Rani *(en sanskrit)* : *reine.* Maharani *(en sanskrit)* : *grande reine.*

– C'est vous-même, Sanjay**ji**.

– Je le sais ! cria Sanjay.

Les Kinra Girls échangèrent des regards stupéfaits. Pratap les pria de s'installer. La route était longue jusqu'au palais de Rajiv et il était grand temps de partir. Naïma était impressionnée. C'était la première fois qu'elle montait dans une limousine ! Les bras croisés, Sanjay continuait de maugréer. Puis il s'aperçut que les filles étaient bien silencieuses.

– J'espère que je ne vous ai pas affolées ! dit-il. C'est juste que, parfois, je suis un peu frustré… J'adorais conduire !

– Pourquoi vous ne le faites plus, alors ? demanda Kumiko.

– Parce que j'ai juré que je ne toucherais plus jamais un volant de ma vie !

Il posa la main sur celle de Rajani.

– Quand tu étais bébé, expliqua-t-il,

je suis venu chez toi pour te voir. Tu
connais tes parents ! Ils sont toujours
pris par leur travail. Un après-midi,
je me suis retrouvé seul avec toi. Les
employés de maison étaient sortis pour
la fête de Ganesh[13]. Je leur avais assuré
que je veillerais sur toi. Tu dormais à
poings fermés. Et tu t'es réveillée...
Et tu as commencé à pleurer, pleurer,
pleurer ! J'ai tout essayé : te faire boire,
te chanter des berceuses, te chatouiller.
Rien ne marchait ! Et j'ai eu une brillante
idée : je t'ai mise dans ton couffin et j'ai
placé celui-ci à l'arrière de ma voiture.
J'ai fait le tour du quartier en roulant
doucement. Merveille ! Dix minutes
plus tard, tu te rendormais, bercée par
le mouvement.

– Aïe, fit Alexa. Je devine la suite !

– Oui, aïe, soupira Sanjay. Un taxi est

---

13. *Ganesh : le dieu à tête d'éléphant de la religion hindouiste est très aimé en Inde. À Mumbai, on le fête durant une dizaine de jours.*

rentré dans ma belle Mercedes ! Tout
l'avant de ma voiture était écrasé et
j'ai eu beaucoup de chance de m'en
sortir indemne ! Rajani n'avait pas une
égratignure, mais j'ai eu tellement peur
que je me suis promis à moi-même de
ne plus jamais conduire !

– Un accident, ça peut arriver à tout
le monde, remarqua Rajani.

– Dis ça à ta mère, répliqua sombrement
Sanjay.

– C'est pour ça que vous êtes fâchés !

s'exclama Rajani. À cause de moi ?

– Pas à cause de toi ! Tu n'y es pour rien. Je me suis disputé avec Indira surtout parce qu'elle a reproché à Vidya d'être sortie faire la fête au lieu de s'occuper de toi. Ce à quoi j'ai répondu que ce n'était pas la faute de la pauvre Vidya qui avait bien le droit d'honorer le dieu Ganesh avec toute la ville de Mumbai ! Et comme ta mère a aussi mauvais caractère que moi, les choses se sont envenimées...

Sanjay vit que Rajani était très chagrinée.

– Tu sais ce qui est drôle ? demanda-t-il. Indira a décidé que tu n'aurais le droit de venir au Rajasthan que lorsque tu pourrais voyager toute seule. Elle pensait sans doute que ça n'arriverait pas avant tes 18 ans !

– En quoi est-ce que c'est drôle ? interrogea Naïma.

– L'Académie Bergström ! Rajani a pris l'avion pour se rendre dans votre école ! Karisma l'a fait remarquer à Indira. Sa fille était bien obligée d'admettre que Rajani était capable de voyager toute seule ! Elle ne pouvait pas revenir sur sa parole. Toujours la plus maligne, ma chère sœur...

– Merci, l'Académie Bergström ! conclut Alexa en riant.

Le mariage de la princesse Padmini

On ne pouvait pas manquer le palais du **maharadjah** Rajiv dans la nuit. Son mur d'enceinte était illuminé par d'énormes projecteurs de différentes couleurs. C'était impressionnant, mais presque discret en comparaison de la décoration des trois cours et du jardin du palais. Entre les lanternes multicolores, les cascades de fleurs et les statues de glace, les trois cents serveurs circulaient, plateau à la main. Ils proposaient des boissons et des douceurs.

Les invités s'installaient confortablement sur des coussins disposés dans des tentes ou se réchauffaient auprès des poêles à charbon. En cette saison, la température tombait avec le soir.

Sanjay contempla avec satisfaction la Rolls-Royce rose qu'il avait fait livrer l'après-midi même. Dans cette partie de la cour, les invités avaient déposé leurs cadeaux de mariage. Les paquets dorés enrubannés étaient empilés par dizaines. Des hommes avaient été engagés pour les surveiller car beaucoup contenaient des objets précieux.

— C'est hallucinant... murmura Naïma.

— On ne voit que ma Rolls-Royce, répondit Sanjay, très content. C'est le principal ! Parfait... Maintenant, où est donc Rajiv que je le salue ?

— Et les mariés ? Où sont-ils ? demanda Idalina.

Sanjay expliqua que la future mariée
était à l'intérieur en compagnie d'autres
femmes. Celles-ci l'aidaient à se préparer,
notamment en décorant ses pieds et ses
mains avec du henné, une teinture brun-
rouge. Son futur époux, quant à lui, arriverait
plus tard. Pour le moment, il n'était pas là.
Kumiko se félicita d'avoir pris son appareil
photo. Il y avait tant de merveilles à
photographier qu'elle ne savait plus où
donner de la tête ! À côté de ceux de
certaines invitées, les somptueux bijoux
que portaient les Kinra Girls semblaient
modestes.

Et là, au milieu de toutes ces richesses,
il y avait un homme en haillons appuyé sur
un bâton noueux. Alexa le reconnut aussitôt
et, sans plus réfléchir, elle se précipita vers
lui. Les mains jointes, elle s'inclina devant
le vieillard.

– *Namasté*, Nihal ! J'espère que vous allez bien ! Vous n'êtes pas fatigué d'être debout ? Attendez, je vais vous trouver un siège !

– Vous êtes la première personne à vous en préoccuper... Merci infiniment.

En entendant cela, les invités, qui faisaient la queue pour être bénis par le saint homme, eurent l'air très embarrassé. Aucun d'eux n'avait pensé au confort du **brahmane** ! Alexa dénicha un tabouret sous une tente et l'apporta à Nihal. En vérité, celui-ci n'avait nul besoin de s'asseoir. Il souhaitait seulement donner une petite leçon à tous ces gens que la fortune rendait égoïstes et mal élevés. Il posa la main sur la tête d'Alexa.

– Que les dieux te protègent, dit Nihal, et te gardent en bonne santé. Bénis soient les enfants dont le cœur est pur et généreux !

– Je vous remercie beaucoup, répondit

Alexa en rougissant. Mais, vous savez,
ce n'est qu'un tabouret…

La remarque fit rire le **brahmane**. Il reprit
son sérieux en apercevant le **maharadjah**
Rajiv qui s'approchait en compagnie d'un
garçon d'une douzaine d'années. La barbe
de Rajiv était aussi noire que ses yeux. Sur
son turban scintillaient des diamants plus
gros que les boutons de sa veste écarlate. Ses
traits étaient durs, et même le sourire qu'il
arborait ne les adoucissait pas. Au contraire,
il n'en paraissait que plus inquiétant ! Alexa
devina qui il était et se recula prudemment.
Elle n'avait pas oublié les conseils d'Hazrat !

— Je souhaitais vous présenter mon
petit-fils, Amitav, déclara le **maharadjah**.

— *Namasté*, Nihalji, dit le garçon en
s'inclinant exagérément.

Nihal lisait dans les personnes comme dans
un livre ouvert. Et ce qu'il lut dans Amitav ne

lui plut pas. Il le bénit car c'était son rôle.

— Que les dieux te guident sur le chemin de l'honnêteté et t'enseignent la modestie.

Amitav se tourna vers son grand-père, visiblement vexé.

— Merci, Nihalji, répondit-il sèchement.

Rajiv empoigna Amitav par l'épaule et prit congé du **brahmane** d'une manière assez abrupte.

— Le fruit ne tombe pas loin de l'arbre, commenta Nihal.

Des clameurs et des applaudissements s'élevèrent dans la foule. Alexa rejoignit ses amies au pas de course.

Cinq éléphants parés de bijoux et de peintures vives entrèrent dans l'enceinte du palais. Ils portaient des nacelles dorées qui transportaient les membres de la famille du marié.

Le futur marié, habillé de blanc, descendit de son éléphant. Rajiv l'accueillit avec toute la dignité qui convenait. Il le conduisit, ainsi que ses parents, sous la grande tente qui leur était réservée. Le moment était venu pour Padmini de sortir de ses appartements.

La jeune fille apparut, portant le **sari** rouge traditionnel. Un voile couvrait son visage. Tant qu'elle ne serait pas mariée, il lui était interdit de sourire et elle devait garder les yeux baissés. Elle se plaça auprès de son futur mari sans prononcer un mot. On s'écarta devant Nihal qui s'approchait à son tour. On tendit deux colliers de fleurs blanches au **brahmane**. Il les passa au cou des deux jeunes gens et les bénit. Les serveurs circulaient parmi les invités avec des corbeilles. Ceux-ci y prirent des pétales de fleurs par poignées et les lancèrent en l'air.

Le marié
releva le voile
de Padmini.
Avec une
pâte rouge,
il marqua le
front de la princesse d'un
point. Puis il lui offrit des objets de toilette.
Ils s'assirent côte à côte et ôtèrent leurs
chaussures. On leur présenta deux bagues
en or posées sur un coussin. La princesse en
passa une à un orteil de son époux et il fit de
même. L'union était scellée et Padmini eut
enfin le droit de sourire.

Nihal pria les dieux de leur accorder une
longue et heureuse vie, puis pria pour
le bien-être de tous les êtres vivants de
l'univers et enfin pour la paix et la fidélité.
La cérémonie terminée, place à la fête !
Musiciens et danseuses envahirent le jardin.

Ceux qui n'étaient pas collés aux nombreux buffets s'adonnaient à la danse avec plaisir. On s'amusait beaucoup.

Au début, les Kinra Girls préférèrent ne pas s'éloigner de Sanjay. Le **maharadjah** remarqua qu'elles étaient fascinées par les éléphants et il leur proposa d'aller les observer de plus près.

– Je reste à côté de cette statue de glace
en forme de cheval, dit-il. Veillez à
revenir avant qu'elle ne fonde !

Les cornacs[14] convièrent les petites filles
à s'approcher. Ils leur montrèrent que les
bêtes étaient dociles et qu'il n'y avait rien
à craindre. Idalina toucha la trompe d'un
éléphant qui sembla apprécier…

Kumiko s'aperçut que Naïma se tortillait.

– Qu'est-ce que tu as ? demanda-t-elle.

– J'ai envie de faire pipi depuis qu'on est
arrivées ! gémit Naïma.

– Tu ne pouvais pas le dire plus tôt,
espèce de nouille ? répondit Kumiko en
pointant le doigt. Là ! Tu n'as pas vu les
pancartes avec « WC » écrit dessus ?

Naïma soupira de soulagement. Il n'y avait
pas plus facile que de suivre les pancartes…
en apparence. Les flèches en carton
la conduisirent à l'intérieur du palais.

---

14. Cornac : homme qui soigne et conduit un éléphant.

Dans le hall, il y avait beaucoup de monde.
Naïma chercha en vain la flèche suivante.
Celle-ci avait été renversée par quelqu'un
qui n'avait pas pris la peine de la remettre
en place.
Naïma s'adressa à un des serveurs.
Malheureusement, ce dernier avait été
engagé pour l'occasion, il ne connaissait
pas le palais et parlait à peine l'anglais.
Il fit un vague signe de la main en direction
de l'escalier pour se débarrasser de cette
gamine qui lui barrait le chemin.
Naïma monta au premier étage et se
trouva devant un gigantesque couloir.
Et plus personne pour la renseigner…
Au hasard, elle ouvrit une porte. Il y avait
un autre couloir derrière ! Naïma continua
d'avancer et, passant des couloirs aux
salons et enfin aux chambres, elle finit
par découvrir une salle de bains.

Maintenant, il fallait refaire le trajet en sens inverse. En entrant dans une salle où trônait une statue de Shiva, Naïma s'arrêta. Ah non... elle n'avait jamais traversé cette pièce !

Demi-tour. Et cette fontaine dans ce petit vestibule ? Elle était sûre de ne pas l'avoir vue auparavant. Prise de panique, elle essaya toutes les portes qui se présentaient à elle. Elle était complètement égarée.

Puis elle pénétra dans une chambre à la décoration surprenante. Des épées, des poignards et des boucliers étaient accrochés aux murs. Les innombrables lanternes du jardin éclairaient les fenêtres. Les armes n'en étaient que plus impressionnantes dans ce jeu d'ombre et de lumière.

Alors qu'elle s'apprêtait à ressortir, Naïma aperçut quelque chose qui scintillait, à la droite du lit... Elle cligna plusieurs fois les paupières, n'en croyant pas ses yeux.

Mais elle ne se trompait pas ! Un palais
miniature d'or et d'argent avec une
coupole et des tours surmontées de pierres
précieuses, il ne pouvait y en avoir qu'un !
Elle sursauta quand une voix l'interpella
soudain.

— Qu'est-ce que tu fais ici ?

Naïma se retourna. Elle reconnut le garçon
qu'elle avait vu en compagnie de Rajiv.

– Je… je me suis perdue, répondit-elle.
De quel côté est l'escalier, s'il te plaît ?

– Je ne suis pas à ton service.

Quel mal élevé, celui-là ! Naïma fit un gros
effort sur elle-même pour garder son calme.
Elle s'inclina légèrement, les mains jointes.

– Pourrais-tu avoir la bonté de m'aider…
heu, altesse ?

Il sourit avec arrogance. Être appelé
« altesse », ça lui plaisait bien…

– Je suis le prince Amitav. Et tu n'as
pas le droit d'être dans cette pièce !

– Je suis désolée, prince. Je n'avais pas
l'intention de…

– D'accord, ça va ! la coupa-t-il. La sortie
est par là. Tu passes deux portes et tu
te retrouveras dans le couloir central.
Va-t'en !

Naïma le remercia et le salua avec respect.
Elle s'empressa de partir car elle avait une

furieuse envie de lui apprendre la politesse.
Et puis elle avait plus important à faire.
Au moins, Amitav lui avait indiqué la bonne
direction. Une fois dans le jardin, Naïma
courut vers la statue de glace en forme
de cheval. Ses amies y étaient déjà en
compagnie du **maharadjah** Sanjay.

– Sanjay**ji** ! s'écria Naïma. J'ai retrouvé
le palais de Mahasammata !

Sanjay fronça les sourcils et exigea des
explications. Très excitée, Naïma raconta
comment elle avait découvert le petit palais.

– Tu dois faire erreur ! dit Sanjay.
Ce ne peut être le même, voyons !

– Je suis sûre que si, Sanjay**ji** ! C'est lui !
J'ai eu le temps de voir les cinq tours
avec le rubis, l'émeraude, le saphir,
le diamant blanc et le diamant jaune !
D'ailleurs, voilà le prince Amitav, vous
n'avez qu'à lui demander !

Amitav était devant le buffet où le barman
lui servait un verre de ***nimbu pani***, du jus
de citron vert.

— Qu'à cela ne tienne ! déclara Sanjay.
J'en aurai le cœur net !
D'un pas raide, il se dirigea vers la tente
où Rajiv était installé. Rajani s'inquiéta.
Elle craignait que les **maharadjahs** ne se
fâchent définitivement. Les Kinra Girls
hésitaient à suivre Sanjay, mais la curiosité
l'emporta. Néanmoins, elles restèrent
à quelque distance de la tente. Elles
n'entendirent pas les premiers mots
de Sanjay. Le ton monta soudain quand
Rajiv lui répondit.

— Eh bien, oui. Je possède effectivement
le palais de Mahasammata.
— Que, quoi ? suffoqua Sanjay. Il faisait
partie du trésor de ma famille ! Il est
à moi !

– Non, il m'appartient. Anupam l'a offert
à mon grand-père Hari.

– Il en avait fait cadeau à ma mère Neetu
quand elle était enfant !

Sanjay n'était pas loin de traiter son hôte
de menteur, ce qui aurait été très grave.
Heureusement, le **brahmane** Nihal était
présent et il leva la main en signe
d'apaisement.

– Rajiv dit la vérité,
affirma-t-il. Anupam
a donné le palais
de Mahasammata
à Hari. Et ce, pour
une bonne raison.
Neetu devait épouser
le fils cadet d'Hari. Mais
elle était amoureuse d'un
autre homme, le **maharadjah**
Arjun. Anupam est donc allé voir

Hari et il a négocié avec lui. Hari a
exigé le palais de Mahasammata à titre
de dédommagement. Je ne crois pas
que Neetu était au courant de cet
arrangement. Vous devriez être fier de
votre grand-père, Sanjay**ji**. Rares furent
les **maharadjahs** de son époque à faire
passer le bonheur de leurs filles
avant la politique. Et je salue
aussi la compréhension
d'Hari qui a accepté
le marché.
Hélas, ses belles
paroles ne furent
guère entendues...
Sanjay était furieux.
Rajiv, quant à lui, profita
de l'opportunité qui se
présentait. Il fit mine de compatir.
– Nous ne sommes pas responsables

113

des actions de nos grands-pères, remarqua-t-il. Je suis malgré tout un peu embarrassé par la situation... Peut-être y a-t-il un moyen de régler la question d'une honorable manière ?

– Je vous écoute, répondit Sanjay, surpris.

– Eh bien, vous savez que j'ai toujours été intéressé par ce cheval de polo que vous avez acheté récemment...

En réalité, Sanjay avait remporté la vente aux enchères au nez et à la barbe (noire) de Rajiv. Celui-ci ne le lui avait pas pardonné. Sanjay attendit la suite sans mot dire.

– Je vous propose une partie de polo.

Si je gagne, vous me cédez le cheval.

Si je perds, je vous rends le palais de Mahasammata.

– C'est impossible, rétorqua Sanjay, mes joueurs sont pris par le championnat régional.

— Les miens aussi. Il s'agit d'une affaire personnelle. Je pensai à un match entre nous. Je prendrai mon petit-fils Amitav comme partenaire. Choisissez le vôtre.

— Pour être équitable, il me semble que je devrais jouer avec un équipier du même âge qu'Amitav.

Sanjay se retourna vers les Kinra Girls.

— Je choisis cette jeune fille blonde là-bas.

Rajiv eut un rictus méprisant. Une fille ! Ridicule !

— Parfait, dit-il. Rendez-vous dans deux jours sur votre terrain.

— Pour éviter toute contestation, je prie respectueusement le **brahmane** Nihal d'avoir l'obligeance de nous servir d'arbitre, ajouta Sanjay.

Nihal hocha la tête pour signifier son accord.

Kumiko regarda Alexa. Alexa regarda Kumiko.

Chapitre 8

Ce qui est vraiment important

Le lendemain, Rajani croisa les bras. Puis elle soupira. En face d'elle, Alexa affichait un visage contrit.

– Et maintenant, hein ? dit Rajani. Tu vois à quoi te mène ton mensonge ?

– Je sais jouer au polo ! protesta Alexa. Enfin, en théorie…

– En théorie ? Moi, j'ai lu un livre sur l'exploration spatiale et ça ne fait pas de moi une astronaute pour autant !

– D'abord, je suis une excellente cavalière, rétorqua Alexa. Ensuite,

je connais les règles du polo. Et ma
grand-mère m'a appris comment on
utilise le maillet pour taper dans la balle.
D'accord, j'avais 9 ans… mais je m'en
souviens parfaitement !

– Tu n'as pas le choix, remarqua Idalina.
Il faut que tu racontes tout à Sanjay.

Alexa baissa la tête. Dans cinq minutes, elle
devait retrouver le **maharadjah** à l'écurie.
Elle prit son courage à deux mains et se leva.
Naïma lui adressa un petit sourire inquiet.
Comment Sanjay allait-il réagir ? Il était
gentil, certes, néanmoins il n'avait pas très
bon caractère…

Quand Alexa arriva près du terrain de polo,
elle aperçut six superbes chevaux sellés.
Oh ! là, là ! Le **maharadjah** était déjà équipé !
Alexa prit une grande inspiration. Mieux
valait tout lui dire sans attendre. Ce qu'elle
fit. Sanjay l'écouta en silence.

– Je suis vraiment désolée… marmonna Alexa. Je parle toujours à tort et à travers…

– Je ne peux pas me délivrer de mon engagement, répondit Sanjay. Ce qui signifie que si je renonce à jouer, je devrai céder mon cheval à Rajiv, de toute façon.

– Mais… mais si vous lui expliquez que je vous ai menti, il comprendra ! Non ?

– Non. Et de quoi aurais-je l'air ? Pas question que je lui présente des excuses ! Alors, jeune fille, allons-nous nous avouer vaincus sans même combattre ? Nous avons une journée pour nous entraîner. Assez perdu de temps !

Au travail !

Décidément, Sanjay n'était pas un homme ordinaire. Il aurait pu se fâcher ou, pour le moins, faire la leçon à Alexa. Celle-ci fut surprise par sa réaction. Elle se sentit poussée par le désir de ne pas décevoir le **maharadjah**. Et s'il fallait galoper après une balle jusqu'au bout de la nuit, elle y était prête !

Elle enfila les genouillères et l'indispensable casque avec sa grille de protection. Sanjay lui proposa de monter Râvana, un petit cheval bai. Doux et docile, l'animal était plutôt mal nommé. Râvana était le nom d'un roi-démon de la mythologie indienne ! Il lui attribua aussi Black Star et Viking, dont les robes étaient presque noires. Au polo, on change de cheval très souvent car ce sport est épuisant.

— Comme nous ne serons que deux joueurs par équipe, dit Sanjay, nous devrons tenir à la fois le rôle d'attaquant, de défenseur et de gardien de but. Pour commencer, tu vas t'exercer à frapper la balle.

Pendant une heure, Alexa s'appliqua à viser entre les poteaux. Râvana faisait preuve de beaucoup de patience. Il ne bougeait pas pour permettre à sa cavalière de tirer au but. Quand Sanjay jugea que sa partenaire maîtrisait suffisamment le maniement du maillet, il monta sur son cheval. Et là, les choses se compliquèrent sérieusement... Rattraper la balle envoyée par Sanjay, en pleine course, se montra très difficile !

En fin de matinée, Alexa avait mal partout, surtout dans l'épaule droite. Elle serra les dents et ne se plaignit pas. Même pas quand il fallut reprendre l'entraînement après le déjeuner avec trois nouveaux chevaux. Rajani ne trouvait pas prudent qu'Alexa joue au polo. Mais Sanjay était déterminé et rien ni personne ne pouvait lui faire entendre raison. Alexa, d'ailleurs, était tout aussi entêtée. En dépit de ce qu'elle pensait, Rajani admirait sa ténacité. Le soir, elle proposa un massage à son amie pour soulager ses courbatures. Alexa lui en fut infiniment reconnaissante. Grâce au massage, elle s'endormit en oubliant sa douleur dans l'épaule...

Les chevaux du **maharadjah** Rajiv arrivèrent par camion tôt le matin. Afin de leur permettre de récupérer du stress du voyage, le match était prévu pour l'après-midi. Les palefreniers de Rajiv surveillaient les bêtes de près et n'autorisaient personne à les approcher. Ils observaient Kumiko avec un air féroce. Sans doute croyaient-ils que ses

crayons de couleur étaient
des armes mortelles !
Kumiko ne se laissa pas
impressionner et continua de
dessiner. Les chevaux avaient
belle allure avec leurs crinières rasées et
leurs queues tressées. On les toilettait ainsi
pour éviter que les crins ne s'emmêlent
dans les mains ou dans le maillet.

À 14 heures, la grosse voiture de Rajiv se gara
dans la cour. Sanjay accueillit le **maharadjah**
et son petit-fils et leur proposa un moment
de repos et une collation. Rajiv déclina
l'offre : pas question de s'alourdir avec
de la nourriture !

— Nous ne sommes pas fatigués, dit-il.
S'il vous agrée, nous jouerons une partie
en trois *chukkas* [15]. Si aucun point n'est
marqué ou s'il y a égalité, nous jouerons
une quatrième *chukka*.

---

15. *Chukka : au polo, période de jeu d'une durée de sept minutes et demie. Un match se joue normalement en quatre ou six chukkas.*

Sanjay acquiesça. Les conditions lui convenaient parfaitement. Tout le monde se dirigea vers le terrain de polo. Le **brahmane** Nihal surgit de nulle part, à pied, appuyé sur son bâton. Les deux **maharadjahs** le saluèrent et le remercièrent d'être leur arbitre.

– Seuls les dieux sont juges, répondit Nihal. Je ne suis que leur humble serviteur.

Alexa ignora le regard méprisant d'Amitav. Elle choisit de monter Black Star en premier car elle avait remarqué qu'il était le plus rapide. Prendre les concurrents de vitesse était sa meilleure chance. Malheureusement, les chevaux de Rajiv étaient tout aussi vifs, elle s'en aperçut dès le début du match.

Avec Alexa, Sanjay avait élaboré une stratégie. Étant le plus expérimenté, il tiendrait le rôle d'attaquant. Alexa devait surtout jouer en défense et gêner les adversaires. Comme ils n'étaient que deux, Alexa devait aussi passer la balle à son coéquipier... Elle visait assez bien, mais elle manquait de force dans les bras.

Durant la première *chukka*, Alexa manqua beaucoup de balles. Amitav fit des commentaires moqueurs. Son grand-père n'apprécia pas et le rappela à l'ordre. À la fin de la période, aucun point n'avait été marqué.

— Pour des messieurs de leur âge, les **maharadjahs** sont drôlement en forme, remarqua Naïma. Je trouve qu'Alexa ne se débrouille pas si mal, non ?

— Elle n'est pas assez concentrée, grommela Rajani.

Idalina eut une soudaine inspiration. Profitant du changement de chevaux,

elle s'approcha d'Alexa et lui glissa quelques
mots à l'oreille.

> – Qu'est-ce que tu lui as dit ? lui demanda
> Kumiko à son retour.

> – De penser au palais de Mahasammata
> et au monstre devant la porte. Elle doit
> le vaincre. Tu te souviens de l'histoire :
> l'esprit est plus fort que la peur.

Avec Viking, Alexa réussit à mieux jouer
en défense. Viking était très intelligent
et réagissait au moindre mouvement des
rênes. À plusieurs reprises, Alexa accrocha
le maillet d'Amitav, une manœuvre
autorisée par les règles du jeu. Le garçon
en perdit ses moyens et multiplia les fautes.
Au terme de la deuxième *chukka*, le score
était toujours nul.

Alexa avait gardé Râvana pour la fin. La veille,
elle avait noué une relation de confiance
avec lui.

— L'esprit est le plus fort… murmura-
t-elle.

Râvana secoua la tête. Il comprenait. Nihal replaça la balle au centre du terrain et la troisième *chukka* commença. Râvana fit montre de toutes ses qualités : il s'arrêtait brusquement, repartait en flèche, changeait de direction, encore et encore… Tant et si bien que même le **maharadjah** Rajiv en fut gêné dans ses déplacements. Si Alexa avait été plus habile à renvoyer la balle, Sanjay aurait sans doute eu l'occasion de marquer un but.

Exaspéré d'être ainsi dominé par une fille, Amitav incita son cheval à zigzaguer dans la trajectoire de la balle quand elle passa d'Alexa à Sanjay. Or c'était interdit. Nihal ne sembla pas s'en apercevoir. Ensuite, Amitav accrocha la jambe d'Alexa avec son maillet. Le pied de celle-ci sortit de l'étrier et elle faillit tomber. Rajiv profita qu'elle n'était plus en mesure de défendre et marqua enfin un but. Alexa était persuadée que Nihal allait intervenir, il y avait faute grave. Et toujours pas de réaction de la part du **brahmane**.

Fin du jeu : un à zéro. Les palefreniers de Rajiv applaudirent. Amitav manifesta bruyamment sa satisfaction. Sportivement, Sanjay félicita ses adversaires. Alexa resta silencieuse. Elle ne voulait pas qu'on la prenne pour une mauvaise joueuse.

> – Les dieux ont jugé, dit Nihal en regardant Amitav. Ils connaissent la vérité.

Le jeune garçon fit mine de ne rien remarquer. Nihal sourit.

> – Dommage… ajouta-t-il.
> – Qu'est-ce que ça signifie ? demanda Rajiv.

– Qu'il y a des choses plus importantes qu'un objet, fût-il un petit palais d'or et de pierres précieuses.

Le **brahmane** joignit les mains et s'inclina devant Alexa.

– Riches sont ceux dont le cœur est bon. Les dieux savent tout.

Puis, tranquillement, Nihal partit sur le sentier poussiéreux, appuyé sur son bâton.

***

Kumiko ne décolérait pas. Amitav avait triché ! Elle ne comprenait pas que le **brahmane** ne l'ait pas sanctionné. Elle comprenait encore moins que son amie n'ait rien dit. Mais Sanjay n'avait pas vu ce qu'avait fait le jeune garçon et Alexa craignait de passer pour une menteuse. Elle lui avait déjà menti une fois...

Le soir était tombé sur cette éprouvante journée. Alexa rêvait d'un petit massage et d'une bonne nuit de sommeil. Les Kinra Girls furent surprises quand le **maharadjah** entra dans la chambre où elles s'étaient réunies.

– Je viens de parler au téléphone avec Rajiv, déclara-t-il. Il m'a appelé pour me raconter qu'Amitav lui avait avoué s'être mal conduit lors du match. Rajiv est un homme d'honneur et il ne veut pas d'une victoire dans ces conditions. Alors, je garde mon cheval... et il garde le palais de Mahasammata.

– Il devrait vous le rendre ! s'exclama Kumiko, scandalisée.

– Il me l'a proposé, répondit Sanjay. Et j'ai refusé. Nihal a raison : ce n'est qu'un objet. Anupam l'a donné à Hari par amour pour sa fille. Et c'est ça qui est important !

– Et puis il nous reste la belle histoire de Neetu, dit Rajani. Personne ne pourra nous la prendre !

Sanjay acquiesça et soudain éclata de rire.

– Mais le plus important, c'est que nous avons une future championne de polo ! Il me suffit d'un mois pour faire d'Alexa la meilleure joueuse de 12 ans au monde !

– Heu, 11 … corrigea Alexa. Et nous retournons à l'école dans une semaine…

– Alors, il me reste quelques jours pour vous offrir des vacances dignes des princesses que vous êtes ! Je sens que nous allons bien nous amuser !

Une à une, les étoiles s'allumaient au-dessus de **Chandi Mahal**. Jamais le palais de la Lune n'avait mieux porté son nom que sous le diadème étincelant des joyaux du ciel.

VOCABULAIRE

Brahmane (en sanskrit) :
prêtre ou homme de lettres hindou.

Chandi Mahal : palais de la Lune.

Chapatti (en hindi) :
galettes de blé sans levain.

Dal makhani (en hindi) : lentilles noires
dans une sauce épaisse au beurre.

Gulab jammu (dérivé du persan) :
boulettes de yaourt caramélisées
qui baignent dans du sirop de rose.

Jali (en sanskrit) : écran de pierre sculpté
qui sert souvent de fenêtre.

-ji : en Inde, quand on s'adresse
à quelqu'un d'important, on ajoute « ji »
(prononcer « dji ») à la fin de son nom.
Cela signifie « respect ».

Jodhpurs (en hindi) : pantalon de cavalier,
serrant la jambe du genou au pied.

Maharadjah (en sanskrit) : « grand roi »
ou titre donné aux princes de l'Inde.

Maharani (en sanskrit) : « grande reine » ou titre donné aux princesses de l'Inde.

Malaï kofta (en ourdou ou persan) : boulettes de légumes avec de la crème, des raisins secs et des noix de cajou.

Namasté (en hindi) : « Je m'incline devant vous ». Formule de politesse pour dire bonjour ou souhaiter la bienvenue.

Nimbu pani (en hindi) : jus de citron vert.

Radjah (en sanskrit) : roi ou prince en Inde.

Rani (en sanskrit) : reine, épouse d'un Radjah.

Sari (en hindi) : vêtement traditionnel porté par les Indiennes et composé d'une longue bande de tissu de 5 ou 6 mètres de long.

Thali (en hindi) : assortiment de plats servis dans de petits récipients disposés sur un plateau rond. *Thali* désigne à la fois le plat et la nourriture.

Vina (en hindi) : instrument à cordes, sorte de luth à manche long symbolisant, entre autres, l'harmonie.

Zenana (en hindi) : appartements des épouses des princes ou rois.

LE MARIAGE HINDOU

Au Rajasthan, un État du nord-ouest de l'Inde, les mariages sont somptueux et grandioses. Ils se déroulent dans la maison de la future mariée.

La mariée s'habille d'un magnifique sari, pouvant peser jusqu'à 20 kilos, et porte de nombreux bijoux en or. Ses pieds et ses mains sont décorés de dessins au henné. Quand elle se présente à son futur époux, elle doit avoir le visage grave, les yeux baissés, pour montrer qu'elle est triste de quitter sa famille.

Le mariage est célébré par un brahmane, un prêtre hindou. On lui présente des colliers de fleurs qu'il met autour

du cou des deux futurs époux. Il prononce
une bénédiction. Ensuite, les invités lancent
des pétales de fleurs
pendant que le marié met
autour du cou de l'épouse
un collier jaune orné de
deux pièces d'or. Il lui
trace un point rouge,
appelé bindi ou poddu,
sur le front et il lui offre des
affaires de toilettes. Enfin, les mariés
se mettent pieds nus et la femme met une
bague d'or à un orteil du mari et inversement.
Ils sont alors mariés et l'épouse peut sourire.

© Fotolia/Scotty Robson

LE CODE MuLLEE MuLLEE

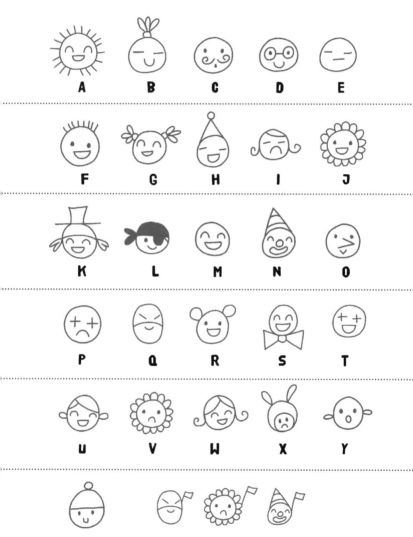

La présence d'un accessoire (drapeau, étoile, fleur...) indique le début d'un mot.

Au secours

Danger

Tout va bien

Bora = réunion secrète.

Borakawa = rendez-vous au moulin.

0% = attention, les pestes sont dans le coin.

faire un clin d'œil 2 fois de suite :
SUIVEZ-MOI !

Se mettre un doigt dans le nez :
PESTES EN VUE !

Se tirer l'oreille :
ATTENTION ! Quelqu'un nous écoute !

Se gratter le haut du crâne comme un singe :
BORA

Tirer la langue en serrant le cou :
AU SECOURS ! J'ai été empoisonnée !

S'enfuir en courant :
UN CROCODILE ME COURT APRÈS !

Se frotter le ventre avec une main,
l'autre main sur la hanche :
J'AI VU QUELQUE CHOSE D'INTÉRESSANT
(comme le chat fantôme ...)

DÉCOUVRE
LES CINQ HÉROÏNES
AVANT LEUR RENCONTRE

Découvre l'histoire de chacune de nos amies
avant leur rencontre dans l'Académie internationale Bergström.

PUIS SUIS LES AVENTURES DES KINRA GIRLS !

  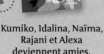

Kumiko, Idalina, Naïma,
Rajani et Alexa
deviennent amies.

Une étrange histoire
de chat fantôme court
à l'Académie Bergström...

Les Kinra Girls
trouvent un
passage secret.

Les Kinra Girls
découvrent un
cimetière abandonné.

Nos cinq amies
partent pour le Japon.
Les catastrophes
s'enchaînent...

Où se trouve
la clé d'or qui ouvre
toutes les portes ?

(7) Idalina serait-elle amoureuse ?

(8) Les Kinra Girls courent un terrible danger dans le village abandonné.

(9) Les Kinra Girls vont-elles enfin découvrir le trésor ?

(10) Les Kinra Girls partent pour les vacances de Noël et décident de s'écrire...

(11) Une compagnie d'opéra chinois débarque au château.

(12) Les Kinra Girls s'envolent pour Édimbourg, la ville la plus hantée du monde...

(13) L'oncle de Rajani invite les Kinra Girls en Inde !

(14) Un gardien de nuit est engagé à l'Académie.

TOME 15 À PARAÎTRE
Un amoureux secret
(juin 2015)

Retrouve aussi le journal intime, les cahiers de mode, les bracelets brésiliens, la boîte à secrets et le hors-série des Kinra Girls.

Lili Chantilly
a 11 ans et rêve de devenir styliste...

Elle a une tonne d'idées, de l'or dans les doigts
et vient d'entrer en sixième à l'École Dalí.

Elle a un père grand reporter, qu'elle adore mais
qu'elle ne voit pas souvent. Une nounou aimante,
qui cuisine des plats marocains sensationnels.
Un ami pas ordinaire sur lequel elle peut toujours
compter. Et un grand vide dans le cœur,
parce qu'elle n'a jamais connu sa maman.

Découvre notre Lili aussi drôle que têtue
et suis-la au fil de ses aventures...

Tome 1

Depuis toute petite,
Lili adore dessiner, créer
et veut devenir styliste.
Mais son père s'y oppose…

Tome 2

Lili entre en sixième au collège Dalí,
une école d'art. Mais la rentrée
n'est pas de tout repos…

Tome 3

Un défi est lancé à la classe de Lili :
organiser un défilé de mode !

Tome 4

Lili passe beaucoup de temps
aux écuries, mais les pestes
ne la laissent jamais tranquille...

Tome 5

Le père de Lili vient passer
quelques jours avec sa fille.
Mybel, de son côté, monte un clan
de style kawaï contre Lili...

Tome 6

De drôles de bruits réveillent
les élèves de l'École Dalí
en pleine nuit...

Tome 7

De retour chez elle
pour quelques jours,
Lili fait une drôle de rencontre...

Rejoins-nous sur
www.lilichantilly.com

Tome 8

À PARAÎTRE
(juin 2015)

ISBN : 9782809651706
Dépôt légal : septembre 2014.
Imprimé en Chine.

Loi n° 49-956 du 16 juillet 1949 sur les publications destinées à la jeunesse.

Textes et illustrations reproduits avec l'aimable autorisation de Corolle.

_____

Mise en page : Isabelle Southgate.
Mise au point de la maquette : Cédric Gatillon.
IGS-CP (16) pour la photogravure.

Nous tenons à remercier pour leur contribution à cet ouvrage :
M. Bellamy-Brown ; C. Bleuze ; M. Boulin ; J.-L. Broust ; G. Burrus ; N. Chapalain ;
A.-S. Congar ; M. Dezalys ; E. Duval ; M.-S. Ferquel ; D. Hervé ; M. Joron ; A. Le Bigot ;
B. Legendre ; L. Maj ; K. Marigliano ; C. Onnen ; L. Pasquini ; C. Petot ; C. Schram ;
M. Seger ; V. Sem ; C. Stacino ; N. Tran ; S. Tuovic ; K. Van Wormhoudt ;
M.-F. Wolfsperger.